Die Erstveröffentlichung der
in diesem Sammelband abgedruckten Abrafaxe-Abenteuer
erschien 1987 in den MOSAIK-Heften 9 bis 12.

MOSAIK-Sammelband 36
Die Befreiung Bolangirs
1. Auflage 2008

ISBN 978-3-937649-16-0 (Softcover-Ausgabe)
ISBN 978-3-937649-76-4 (Hardcover-Ausgabe)

Herausgegeben von
Klaus D. Schleiter

Abrafaxe-Comics:

Künstlerische Leitung & Szenario:
Lothar Dräger, Walter Hackel (Assistenz)

Zeichnungen:
Horst Boche, Egon Reitzl, Jörg Reuter,
Lona Rietschel, Heidi Sott, Irmtraut Winkler-Wittig

Kolorierung:
Joachim Arfert, Ingrid Behm,
Brigitte Lehmann, Ulrich Stephans, Sieglinde Zahl

Die Welt der Abrafaxe:
Mitarbeit:
Maren Ahrens, Michael Klamp, Markus Lippold,
Robert Löffler, Gilbert Schwarz, Thomas Wollschläger

Titel-Layout & Gesamtgestaltung:
PROCOM, Berlin
Produktion: Mirko Piredda
Druck: Meiling Druck, Haldensleben

Die auf 666 Exemplare limitierte Hardcover-Ausgabe
enthält zusätzlich eine handsignierte und nummerierte Grafik.

MOSAIK Steinchen für Steinchen Verlag + PROCOM Werbeagentur GmbH
Lindenallee 5, D-14050 Berlin

Internet: www.abrafaxe.com
E-Mail: mosaik@abrafaxe.de

Der Herr der Tiere

 Nun waren wir also alle wieder beisammen, Verfolger und Verfolgte. Bei Lichte besehen war das kein Zufall, denn Krishna Ghaunar und wir hatten das gleiche Ziel, die Suche nach dem im Dschungel verschollenen Schatzmeister. Wenn jemand das Geheimnis der goldenen Säule lüften konnte, dann war er es. Nach dem Reinfall, den Ghaunar mit seiner Entdeckung erlebt hatte, war allerdings zu befürchten, daß das Ganze nur eine Legende war. Je mehr uns Alex und unser Widersacher über die Vorgänge während unserer Kerkerhaft berichteten, desto größer wurde unsere Befürchtung, daß alles umsonst gewesen war. Unser Einsatz war besonders hoch gewesen, denn nach dem Beschluß des Statthalters, Allah über uns entscheiden zu lassen, hielten wir unseren Untergang für besiegelt.

Doch das Wunder war geschehen, Allah hatte anscheinend zu unseren Gunsten entschieden, und so trieben wir mit unserem merkwürdigen Floß immer tiefer in die grüne Wildnis hinein. Wir glaubten uns gerettet, denn irgendwo mußten wir ja schließlich stranden. Bald sollte es sich zeigen, daß dies neues Unheil bedeutete.

"Es ist aus mit uns! Da kommen schon die nächsten Angreifer!"

"Das geht hier ja wirklich Schlag auf Schlag!"

Diese Erkenntnis wurde auch den Krokodilen eingehämmert, worüber wir uns hätten freuen sollen.

Aha, jetzt gibt's nach der Flußfahrt anscheinend eine Luftreise! Toller Service!

Laß mich los! Ich will lieber zu Fuß gehen!!

Nun weiß ich endlich, was ein packendes Erlebnis ist.

Am Rande einer Lichtung endeten die tollen Schwünge von Baum zu Baum. Der Anführer unserer Retter stieß einen seltsamen Ruf aus.

Die Antwort erfolgte umgehend. Trompetenartige Töne erschallten aus dem Dickicht unter uns.

Elefanten! Sie erschienen tatsächlich wie gerufen! Wie war so etwas nur möglich? Wir staunten. Es schien ja so, als seien die Affen die Ordnungshüter eines geheimnisvollen Reiches, in dem die Tiere herrschten. Sie übergaben uns an die Dickhäuter, welche offenbar für das Transportwesen verantwortlich waren.

Wie recht wir mit unseren Vermutungen hatten, wurde nach einem kurzen Ritt auf den breiten Rücken der gutmütigen Gesellen offenbar. Die Überraschung war allerdings noch größer als die voraufgegangenen. Dieser Palast aus kunstvollem Flechtwerk war Menschenwerk! Kein noch so hoch entwickeltes Wesen, aus dem Reich

der Tiere konnte eine derartige Schöpfung vollbracht haben. Dennoch deuteten die beiden Wächter am Eingang darauf hin, daß das Gebäude von Tieren bewohnt wurde. Wir wußten wirklich nicht mehr, was wir von alledem zu halten hatten. Die Elefanten waren in respektvollem Abstand stehengeblieben. Einer trompetete.

So kam die Nacht. Dunkelheit und Stille umgaben den Palast. Kein Tappen eines Wächters war zu hören. Alles schien zu schlafen. Außer Ghaunar und seinem Diener! Die Bedingungen für die Ausführung ihres Planes konnten nicht besser sein. Schon waren sie vor der Tür zum Schlafgemach des Herrn der Tiere angelangt.

Du gehst jetzt hin und horchst, ob der Alte auch wirklich schläft.

Warum denn ich – es ist doch nicht gesagt, daß ...

So endete Krishna Ghaunars nächtlicher Ausflug. War es sein Plan gewesen, den Herrn der Tiere zu knebeln und zu fesseln, um ihn dann fortzuschleppen, so hatte sich schon dieser erste Teil als undurchführbar erwiesen. Selbst bei einem Gelingen wäre es fraglich geblieben, ob Ghaunar ein Versteck gefunden hätte, in dem er den Entführten zur Preisgabe seines Geheimnisses zwingen konnte. Denn der Dschungel hat tausend Augen.

Die letzte Chance

 Unser mit vielen Überraschungen gespicktes Abenteuer, das zur Begegnung mit dem Herrn der Tiere geführt hatte, war noch lange nicht zu Ende. Es gab ein Nachspiel, zu dem Krishna Ghaunar wohl den Anstoß gegeben hatte, dessen Fortsetzung aber auch ihn mächtig überraschte. Hatte er doch die Entführung unseres Gastgebers geplant, in dem er den vierten Mitwisser um das Geheimnis der goldenen Säule erkannt zu haben glaubte, war aber überhaupt nicht zum Zuge gekommen. Um so mehr mußte ihn der Anblick aus dem Gleichgewicht bringen, den das Schlafgemach bot, in das er kurze Zeit zuvor hatte eindringen wollen. Auch seine Wächter wußten offenbar nicht, was sie von dieser Verwüstung halten sollten. Daß ihr Gefangener nicht der Täter sein konnte, war klar.

Ghaunar hatte gleich uns im Verdacht. Natürlich, auch wir hatten den Schatzmeister erkannt. Und wir hatten nur auf der Lauer gelegen, um unsere Chance wahrzunehmen. Diese bot sich, als sein, Krishna Ghaunars, Plan fehlgeschlagen war. Daher schrie er nun so laut er konnte: „Das waren die Abrafaxe!"

Ich habe nur eine Forderung an euch. Wenn ihr die nicht erfüllt, mache ich kurzen Prozeß mit ihm.

Was sollen wir tun? Wir können ihn doch nicht umbringen lassen. Wir müssen uns die Forderung anhören.

Das ist sehr vernünftig von euch. Ich verlange nur die Freilassung meines Herrn.

Tut, was er sagt. Es bleibt keine andere Wahl.

Ghaunar hat es also wieder einmal geschafft.

Die Säule ist futsch. Dies war unsere letzte Chance.

| Glückliche Reise, meine Herren, und viel Erfolg! | Aber wir haben doch noch nicht einmal gefrühstückt! | Ich hatte freien Abzug mit ihm vereinbart, aber nicht freien Abtransport! |

| Eine unverschämte Bande! Wie kommt ihr bloß zu solchen Freunden? | Das sind nicht unsere Freunde! Wir sind auch froh, daß wir sie los sind. |

So begannen wir Pläne zur Befreiung des Landes zu schmieden. Unsere größte Hoffnung waren die Rebellen. Sie hatten nie aufgehört, den Statthalter zu beunruhigen. Dies taten auch die neuesten Meldungen.

Nun, Bimbaschi, was veranlaßt dich, mich zu so später Stunde zu stören? Mach's gefälligst kurz!

Das wird mir leider nicht möglich sein, o Gebieter. Die Rebellen sind ...

Die Rebellen, die Rebellen! Wann hört das endlich einmal auf! Nun sprich schon, was ist mit ihnen?

Sie werden von Mal zu Mal dreister, Herr.

Was meinst du damit?

Sie fangen an, sich in unserer Nähe einzunisten. Komm, ich zeig's dir!

Siehst du den Lichtschein da drüben in den Trümmern des alten Palastes, den dieser närrische Fremde demoliert hat? Das sind sie!

Das ist ja die Höhe! So eine Frechheit!

Errege dich doch nicht so, Herr!

Ich rege mich auf, soviel ich Lust habe, verstanden?! Schluß mit dem Geklimper! Hinaus mit euch allen!!

Der Statthalter hätte jedoch überhaupt nicht so außer Fassung zu geraten brauchen. Die Beobachtungen des Bimbaschi beruhten nämlich auf einem großen Irrtum.

Endlich haben wir's geschafft. Ja, dies ist das Loch, aus dem ich nach dem Einsturz herausgezogen wurde.

Und hier liegt auch unsere Säule, Chef!

Na, dann wollen wir gleich loslegen. Du löst mich ab.

Versteht sich. Es wird seine Zeit brauchen, bis wir den Kern erreicht haben.

Hast du auch richtig gehört, Abrax? Bis jetzt war noch keine Spur von Rebellen zu sehen.

Doch – dahinten – der Lichtschein!

Was denn, nur zwei? Dann wäre ja alles ...

Pst! Erkennst du sie denn nicht? Das sind doch ...

Nun laß doch mal die Säule aus dem Spiel. Tatsache ist, daß man euch für Rebellen hält. Verhaltet euch vorläufig ruhig, bis wir mit unserem Freund Alex ...

Ja, wo ist denn Alex überhaupt? Wir haben ihn ganz aus den Augen verloren, als wir uns an die Wachen heranpirschten ...

Er ist geschnappt worden!

Was jammert ihr denn? Hier bin ich doch!

Alex! Du hast doch bestimmt wieder etwas angestellt!

Wenn ihr damit meint, daß ich wieder einen meiner glücklichen Einfälle hatte, dann stimmt das wirklich. Ihr werdet staunen!

Du machst uns bange. Deine Überraschungen kennen wir doch.

Beim Zeus, hört auf mit der Unkerei. Kommt heraus und überzeugt euch.

Der Morgen dämmerte, als der Bimbaschi wieder beim Statthalter erschien und ihn daran erinnerte, daß er bei Tagesanbruch gegen die Rebellen in der Ruine vorgehen wollte. „Zum Scheitan mit dir und den Rebellen!" war die Antwort. „Nur keine Überstürzung! So eine Belagerung will gut vorbereitet sein!" Der Bimbaschi war fassungslos. Eine Belagerung? Er hatte mit dem Befehl zum Sturmangriff gerechnet. Wenn das nur gut ging…

Die Belagerung

Nun sollte also die Ruine des ehemals vizeköniglichen Palastes zu Bolangir regelrecht belagert werden. Der übervorsichtige Gebieter der Besatzungstruppen hatte es so entschieden, sehr zum Ärger seines Unterbefehlshabers, des Bimbaschi. Er glaubte mit der Handvoll Rebellen, die sich in dem Gemäuer versteckt hielten, rasch fertig werden zu können. Zweifellos hätte uns ein entschlossen durchgeführter Sturmangriff in eine schwierige Lage gebracht, denn es war nicht sicher, wann die Entsatzarmee im Rücken der Angreifer eintreffen und uns heraushauen würde. Da nun aber durch die Vorbereitungen zur Belagerung viel Zeit vertrödelt wurde, konnten wir ziemlich unbesorgt sein.

Aus der Zeit, als die Stadt von den Fremden erobert wurde, war noch einiges Belagerungsgerät erhalten geblieben. Dieses sollte nach dem Willen des Befehlshabers instand gesetzt und wiederverwendet werden.

Wir werden als erstes den Belagerungsturm einsetzen!

Mit Verlaub, Chef, ich halte das verrottete Gerümpel da für überhaupt nicht mehr verwendbar. Die Feinde werden sich totlachen.

Was ist denn nun schon wieder los?!

Ich hab's ja gewußt! Das Ding ist morsch wie meine Backenzähne!

Na schön, dann greifen wir eben mit dem Rammbock an!

Das ist doch nun total sinnlos! Aber wenn du willst ...

Tempo, Tempo, Leute! Nicht so lahm! Beim Scheitan, was ist mit den Rädern?!

Ich hab's ja gewußt! Die Achsen, die Lager – alles ist verrottet!

Und die Ersatzteilfrage ist auch wieder einmal ungelöst!

Vorwärts, tragt das Ding an den Feind! Rückzug kommt überhaupt nicht in Frage!

Die Ehre unserer Waffen muß – haaaa – Deckung!!!

Allah will uns strafen! Er schleudert Meteore nach uns!

Quatsch!! Das war ein ganz gewöhnlicher Stein!

Warum laufen die denn weg? Hat vielleicht jemand zum Frühstück gerufen?

Das ist mir ein Rätsel! Woher kam dieser dicke Steinbrocken geflogen?

OOoiiiEAooo

Was war das für ein seltsamer Schrei – und die Elefanten – sie werden doch nicht...

... auch noch weglaufen?! Doch – sie tun's! Bimbaschi, los – hinterher – einfangen!!

Aber wie denn – womit denn – unmöglich, Chef!

Und da, sieh doch nur, das – das ist ja ungeheuer!

Das darf doch nicht wahr sein! Das – das ist ja ...

Ja, er war es – der Herr der Tiere! Auch der Statthalter kannte die seltsamen Geschichten, die man über ihn und sein geheimnisvolles Reich im Dschungel erzählte. Er hatte sogar einmal geplant, eine Expedition loszuschicken, die den Gerüchten auf den Grund gehen sollten. Und nun war dieser sagenumwobene Beherrscher

des Urwaldes mit einer Heerschar Elefanten und anderer ihm gehorsamer Geschöpfe nach Bolangir aufgebrochen. Der überraschte Statthalter glaubte im ersten Moment, daß ihm Allah unerwartete Hilfe gesandt habe. Doch bevor er einen Dank stammeln konnte, zerstörte ihm der Herr der Tiere jegliche Hoffnung.

Wir hatten längst geahnt, daß sich eine Entscheidung anbahnte, als wir den uns wohlbekannten Urwaldschrei erschallen hörten. Das Erscheinen des Herrn der Tiere war daher keine so große Überraschung mehr für uns. Das beeinträchtigte aber keineswegs unsere riesige Freude über das gelungene Zusammenspiel mit den Rebellen, wodurch uns Sieg und Befreiung zuteil wurden.

Ein glückliches Ende

 Der Sieg der Rebellen über die fremden Eindringlinge sollte durch die feierliche Übergabe der Stadt seinen krönenden Abschluß finden. Auf einem großen Platz waren Sieger und Besiegte angetreten, und diese sollten nach Ablieferung ihrer Waffen umgehend das Land verlassen. Den Anfang machte der ehemalige Statthalter. Während er sich in sein Schicksal fügte, indem er alles dem Willen Allahs zuschrieb, fühlte sich der Bimbaschi tief in seiner Ehre gekränkt. Die meisten Soldaten waren froh, daß die Sache für sie ein glimpfliches Ende gefunden hatte.

Der Herr der Tiere als ehemaliger hoher Vertreter der Provinzregierung war genau der richtige Mann für die Entgegennahme der Kapitulationserklärung.

Ich sehe, daß du zum Zeichen deiner Unterwerfung vor mir kniest. Reich mir dein Schwert.

Nimm es hin, Herr. Ich beuge mich dir als dem Sieger.

Schwöre mir nun, daß du niemals wieder eine Waffe gegen dieses Land erheben wirst. | Ja, tu das, sonst behalten wir dich nämlich für eine Weile hier.

Ich gelobe bei Allah und dem Propheten, daß ich nie wieder in Waffen oder an der Spitze eines Heeres die Grenzen des Königreichs Orissa überschreiten werde!

Dieser Schwur gilt auch für euch, Männer. Sollte jemand damit nicht einverstanden sein, so muß er als Gefangener gelten. | Zwischen Schmach und Kerker zu wählen fällt mir nicht so leicht wie dir, du Hund!

Aber Bimbaschi! | Ich bin nicht mehr dein Bimbaschi!!!

Möge mein Schwert zerbrechen, wie meine Ehre zerbrach!

Was geht hier vor? Warum wurden wir nicht eingeladen? Ihr wollt wohl die Beute allein unter euch verteilen?

In jenen schweren Tagen, als die Lage an unseren Grenzen immer bedrohlicher wurde, blieb uns nicht viel Zeit zum Überlegen. Es mußte gehandelt werden.

Wir, die vier Obersten Räte, inspizierten die Schatzkammer und stellten fest, daß immerhin noch beachtliche Bestände vorhanden waren, obwohl der bisherige Vizekönig sehr verschwenderisch gewirtschaftet hatte.

Er war deshalb von uns schon einige Wochen zuvor abgesetzt worden. Beim Herannahen der Feinde hatte er sich mit gestohlenen Reichtümern aus dem Staube gemacht.

Wir ließen nun überall verbreiten, er habe den Staatsschatz restlos geplündert. Dies war auch für die Ohren der feindlichen Spione bestimmt.

So ahnte niemand, daß die wenig später zur Zierde aufgestellte Säule aus dem eingeschmolzenen Staatsschatz bestand.

Seht an, das gute Stück ist inzwischen schon verladen worden. Mit so kräftigen Helfern geht das rasch.

Das wird ja ein richtiger Festzug und ein stolzer Höhepunkt unserer Siegesfeier!

Da geht etwas Ungewöhnliches vor, Herr. Die Leute sind ja ganz aus dem Häuschen!

Nun ja, das ist der Siegestaumel.

He, ihr da! Gehört das mit zur Siegesfeier?

In gewisser Weise schon. Aber der eigentliche Anlaß ist die Auffindung der goldenen Säule!

Einige Zeit nach dieser traurigen Episode fand im Palast des Königs von Orissa ein festlicher Empfang zu Ehren der Sieger statt. Der Herrscher wollte ihnen seinen persönlichen Dank für die Wiedergewinnung der Provinz aussprechen. Die goldene Säule, nunmehr von der tarnenden dünnen Bleischicht befreit, lenkte alle Blicke auf sich. Es erfüllte uns mit Stolz, daß unsere Suchaktion so überaus erfolgreich verlaufen war.

...und so möchte ich zuerst den Abrafaxen danken, weil sie es waren, die sozusagen den Stein ins Rollen brachten, indem sie durch die Suche nach dem Geheimnis der Säule alle Kräfte der Befreier auf einen Punkt lenkten.

Dadurch wurden auch diejenigen wieder an ihre Pflicht erinnert, die zuvor in hohen Stellungen zum Wohle des Landes gewirkt hatten, sich aber ohne Hoffnung in die Einsamkeit zurückzogen.

Zum Dank für ihre Treue setze ich sie wieder in ihre früheren Ämter ein. Zum Nachfolger des im Kampfe tödlich verwundeten Generals bestimme ich den Führer der Rebellen.

Wir finden es nicht richtig, daß Alex leer ausgegangen ist! Auch er hat viel geleistet!

Beruhige dich. Er wurde nicht vergessen.

Ich verleihe dir den Großen Elefantenorden, womit auch der Titel eines Fürsten verbunden ist.

Das paßt gut. König bin ich ja schon.

Außerdem erhältst du von mir einen Schutzbrief, der dir die Suche nach den von dir begehrten Bauleuten erleichtern soll.

Darüber freue ich mich ganz besonders.

Ein Denkmal für dich und die Abrafaxe wurde ebenfalls nach einem preisgekrönten Entwurf in Auftrag gegeben.

Ein großes Festessen beschloß den ereignisreichen Tag. Da kam unser Califax erst richtig auf seine Kosten.

Wir blieben als Gäste des Königs in der Hauptstadt. So gut hatten wir es lange nicht mehr gehabt. Mit den neuen Münzen in der Tasche unternahmen wir eines Tages einen Bummel durch uns noch unbekannte Gassen. Da fiel uns ein Bettler auf, der in einer Ecke hockte und von nichtsnutzigen Bengels verspottet wurde.

Meister Einerlei, was gibt es Neues? Wieder nur Einerlei? Das ist aber langweilig. Streng dich doch mal an!

Ihr solltet euch schämen! Weshalb tut ihr das?

Nun habt euch doch nicht so! Kennt ihr denn unseren Meister Einerlei noch nicht?

Nein. Was bedeutet dieser Name?

Nun, weiter nichts, als daß er immer wieder dasselbe erzählt.

„Ach, wißt ihr, der ist nicht ganz richtig im Kopf." — „Was ist denn das für eine Geschichte, die er immer wieder erzählt?" — „Es ist eine Art Märchen, das von einer goldenen Säule handelt, die aber durch drei böse kleine Kobolde in eine steinerne verwandelt wurde ..." Die Jungens brauchten nicht weiterzuerzählen. Wir wußten nun, wer dieser Bettler war.

Delhi und Bengalen

Nachdem im Sammelband 34 das indische **Königreich Orissa** näher vorgestellt wurde, soll nun das Augenmerk auf dessen wichtigste Gegner im 13. Jahrhundert gelenkt werden – das **Sultanat von Delhi** und seinen illoyalen Ableger in Bengalen. Beide Staatsbildungen werden im redaktionellen Teil von MOSAIK 1/87 erwähnt, weshalb wir uns zunächst mit den Informationen befassen, die uns **Lothar Dräger** dort vermittelt hat.

Seit dem 10. Jahrhundert schon, so berichtet Dräger, seien **moslemische Angreifer** in Indien eingefallen. Aber erst die Gründung des Sultanats von Delhi durch Kutub-Din-

Figurine von Irmtraut Winkler-Wittig

Figurine von Irmtraut Winkler-Wittig

Aibak 1206 sei von Dauer gewesen. Bereits Ende des 12. Jahrhunderts sei das Reich der Palas von Bihar (nördlich von Orissa) zerstört worden. **Bengalen** hingegen (nordöstlich von Orissa im Mündungsbereich von Ganges und Brahmaputra – etwa das heutige Bangladesch) fiel wenig später unter den Einflussbereich der Moslems, indem es von Mohammed Bakhtyar erobert wurde, den Feldherrn des Sultans von Delhi.

Nunmehr, so Dräger im MOSAIK weiter, hätte auch das bis dahin friedliche Orissa im **Brennpunkt** des moslemischen Interesses gestanden – nach heldenhaftem Kampf musste die **Provinz Bolangir** zwischen den Quellflüssen des

I

Die Welt der Abrafaxe

Alle Figurinen von Irmtraut Winkler-Wittig

Mahanadi aufgegeben werden (siehe dazu auch die Karte in Sammelband 34, Seite II). Obwohl es den Sultanen nicht gelang, ihre Macht auf ganz Indien auszudehnen, wirkten sich ihre Eroberungen auf die indische Kultur und Gesellschaft aus. Mit dem **Islam** hielten neue Sitten und Gebräuche Einzug, die sich teilweise mit den alten indischen Traditionen mischten.

Mit dieser historischen Einführung betritt das MOSAIK wieder einigermaßen sicheren historischen Boden, nachdem sich die Abrafaxe die Jahre zuvor mit **Alexander Papatentos** durch ein weitgehend märchenhaftes Indien geschlagen hatten (man denke nur an die **Amazonen** tief im Dschungel oder an Califax' somatrunkene Wundertaten). Trotzdem vermeidet es Lothar Dräger, ein konkretes Jahr für die Ereignisse zu benennen – nur aus früheren und späteren Abenteuern lässt sich errechnen, dass sich der Indienaufenthalt der Abrafaxe etwa **1279/80** abgespielt haben muss. Im Folgenden soll nun eine kurze Geschichte des Sultanats von Delhi geboten werden, verbunden mit Rückbezügen zur Darstellung im MOSAIK.

Bereits seit dem frühen 8. Jahrhundert, also noch viel früher, als im MOSAIK angegeben, hatte **Nordwestindien** – das heutige Pakistan – unter arabisch-moslemischen Angriffen

DIE WELT DER ABRAFAXE

zu leiden. Die **Kalifen** etablierten ihre Herrschaft in Sind und Pandschab, zunächst unter abhängigen Gouverneuren. Weiter nach Südosten ausbreiten konnte sich die moslemische Herrschaft jedoch vorerst nicht. Im 9. Jahrhundert lösten sich diese Gebiete allmählich unter eigenen Dynastien aus dem Zugriff **Bagdads**. In der Folge kam es zu einem relativ friedlichen Zusammenleben zwischen Moslems und Hindus in dieser Gegend. Das änderte sich ab der Jahrtausendwende, als der afghanisch-türkische **Sultan Mahmud von Ghazni** siebzehn brutale Feldzüge tief nach Indien hinein unternahm, denen neben mehreren hinduistischen Reichen auch die bereits etablierten moslemischen Machthaber des **Industals** zum Opfer fielen. Eine eigene Reichsbildung auf indischem Boden plante Mahmud nicht, stattdessen nutzte er die unermessliche Beute zum **Ausbau seiner Hauptstadt**. (Zu seinem Hofstaat gehörten u.a. der Schriftsteller Firdausi, dessen Königsbuch „Schahnameh" heute noch gelesen wird, und der Universalgelehrte al-Biruni.)

Ende des 12. Jahrhunderts kam es zur nächsten Welle moslemischer Angriffe auf Indien. Die Nachfahren Mahmud von Ghaznis wurden von einem neuen Machthaber abgelöst: **Muhammad Ghuri**, der ab 1186 auch auf Indien übergriff. Trotz mehrfacher massiver Rückschläge gelang es ihm bis etwa 1204, fast den ganzen Norden des Subkontinents zu erobern. Dazu trugen vor allem seine beiden fähigen, **von Sklaven zu Generälen** aufgestiegenen Militärs Kutub-Din-Aibak (oder Kutbud-Din-Aibak) und Mohammed Bakhtyar Khalji bei.

Während Aibak Statthalter in **Lahore** wurde, setzte sich Bakhtyar in **Bengalen** fest, dessen König er im Handstreich vertrieben haben soll. Als Sultan Muhammad Ghuri kurz darauf – 1206 – ermordet wurde, machte sich Aibak selbständig. Er erklärte sich selbst zum Sultan und verlegte seine **Hauptstadt nach Delhi**. Bakhtyar in Bengalen erkannte ihn als seinen neuen Oberherrn an, starb aber selbst kurz darauf bei einem Feldzug nach Tibet. Aibak ließ in Delhi die **erste Moschee** erbauen, deren Ruinen noch heute zu sehen sind. Auf ihrem Gelände wurde die berühmte, zu dieser Zeit bereits ca. 800 Jahre alte Eiserne Säule aufgestellt (siehe Seite V in diesem Sammelband).

Die Welt der Abrafaxe

Aibaks Reichsbildung sollte trotz großer Widerstände Bestand haben. Sein Nachfolger Iltutmisch zwang die aufmüpfigen Gouverneure von Bengalen wieder zum Gehorsam, wehrte den **Angriff der Mongolen** 1221 ab und wurde 1229 vom Bagdader Kalifen offiziell als Sultan anerkannt. Nach ihm herrschten seine Nachkommen, darunter auch für einige Jahre seine Tochter Raziyat. Mit **Balban** setzte sich 1266 wieder ein ehemaliger Sklave als neuer Sultan durch. Auch er hatte mit den Mongolen und einem aufständischen Gouverneur von Bengalen zu kämpfen. Dieser **Tugral oder Toghrul** hatte sich 1279 von Delhi losgesagt und zum Sultan erhoben. Balban besiegte ihn 1281, nachdem der Gouverneur sich ins benachbarte Orissa zurückgezogen hatte. Wie in Sammelband 34 ausgeführt, könnte es sich bei dieser Episode um das **historische Vorbild** für die Ereignisse im MOSAIK-Jahrgang 1987 handeln.

Aus den Nachfolgekämpfen nach Balbans Tod ging die Familie Khalji 1290 siegreich hervor, deren Stammvater Bakhtyar wir bereits kennengelernt haben. Die **Khaljis** stellten die Sultane von Delhi bis 1320. Unter ihrer Herrschaft erreichte das Sultanat seine größte Machtentfaltung – **Zentralindien** (mit Ausnahme Orissas) und große Teile Südindiens wurden erobert. Diese Ausdehnung konnte aber nicht gehalten werden und viele Teile des Reiches machten sich wieder selbständig. So zum Beispiel Bengalen im Jahre 1342, das nun dauerhaft zum **eigenständigen Sultanat** aufstieg. Auch ein Plünderzug 1361 nach Orissa blieb letztlich folgenlos. Das Sultanat von Delhi stellte bis zur **Eroberung durch die Moguln** im 16. Jahrhundert eine wichtige Regionalmacht in Nordindien dar.

Aus diesem kurzen Überblick erkennt man, dass die Angaben im MOSAIK 1/87 – wenn auch stark verkürzt und vereinfacht – im Wesentlichen stimmen. Auch die herausragende Rolle von **Aybak und Bakhtyar** bei der moslemischen Eroberung um 1200 ist korrekt wiedergegeben. Was das Maharadschanat von **Rattabumpur** betrifft, in dem sich die Abrafaxe in den Jahrgängen 1984 und 1985 aufhalten, handelt es sich dabei um eine reine **MOSAIK-Phantasie**. Wenn man es historisch einordnen wollte, könnte es sich am ehesten um einen nicht weiter bekannten hinduistischen Klientelstaat an der nordwestlichen Flanke des Sultanats von Delhi handeln, der die **moslemische Eroberung** irgendwie überstanden hat.

Gold und Eisen

Der Ruf der **goldenen Säule** war es, der die Abrafaxe aus der Hauptstadt Orissas zu ihrem neuen Abenteuer nach **Bolangir** trieb. Die Suche nach diesem sagenhaften Objekt ließ sie die größten Gefahren vergessen und um ihretwillen schlossen sie sich sogar der **Rebellion** gegen die islamischen Besatzer an. Zum Lohn für diese Mühen offenbarte ihnen der **Herr der Tiere** schließlich das Geheimnis. Die goldene Säule ward geborgen und aus ihrem Material ließ der König von Orissa sogar **Münzen** mit den Porträts der Abrafaxe prägen. Diese Geschichte ist fast zu gut, um wahr zu sein. Und doch steckt ein realer Kern, respektive eine reale Säule dahinter.

Der Autor **Lothar Dräger** ließ sich bei der goldenen Säule von einem der berühmtesten Objekte der indischen Metallkunst inspirieren – der **Eisernen Säule von Delhi**. Sie wurde vor über 1600 Jahren von dem indischen Herrscher Chandragupta II. (reg. 375-415) für einen **Vischnu-Tempel** gestiftet. Die schmiedeeiserne Säule ist 7,21 Meter hoch und 6,5 Tonnen schwer. Besonders ihre Korrosionsbeständigkeit erweckt bis heute Erstaunen und zeugt zusammen mit der meisterhaften Verarbeitung vom großen Können der **indischen Schmiede**, welche die Eiserne Säule schufen.

Die goldene Säule ist ein fast **exaktes Ebenbild** des eisernen Exemplars. Jedoch wurde diese anders als die MOSAIK-Säule tatsächlich von den islamischen Eroberern erbeutet. Es war der erste Herrscher des **Sultanats von Delhi**, Kutub-Din-Aibak (1206 - 1210), der ihren ursprünglichen Aufstellungsort zerstören ließ und sie anschließend in der von ihm in Delhi errichteten **Moschee** aufstellte, wo sie noch heute zu sehen ist. Sie hatte damit letztlich mehr Glück als die goldene Säule, denn diese wurde bekanntlich zu Abrafaxe-Merchandising-Artikeln verarbeitet.

Die Eiserne Säule im Original und die Abwandlung im MOSAIK. Die Säule kann auch Glück bringen. Dazu müssen sich im ersten Anlauf die Hände berühren, wenn man die Säule rückwärts umfasst

Der Ober-G(h)auner

Auch den ausgeglichensten Menschen ...

Figurine von Andreas Pasda

In der langen Reihe der **Gegner der Abrafaxe** hat Krishna Ghaunar eine besondere Stellung inne. Seine Figur bleibt lange im Dunklen - in den ersten Heften des Jahrgangs **1986** wird sie langsam und sorgfältig vorbereitet. Erst in MOSAIK 5/1986 hat er seinen **ersten Auftritt**. Doch je mehr Ghaunar aus der geheimnisvollen **Aura** tritt, die ihm anfangs anhaftet, je mehr der Leser über ihn erfährt, desto deutlicher wird: **Krishna Ghaunar** hat nichts geheimnisvolles an sich – er entzaubert sich selbst. Darum und wegen seines einzigartigen Endes zählt Ghaunar zu den **markantesten Gegenspielern** der Abrafaxe.

Als die Abrafaxe ihn kennen lernen, hatte sich der **Vaishya** (Kaufmann) durch Ehrgeiz und Skrupellosigkeit bereits einen hohen Status in der indischen Gesellschaft ergaunert. Der Weg in die nächsthöhere Kaste der **Kschatriya** scheint unaufhaltsam. Eifrig zieht er im Hintergrund die Fäden, schmiedet Allianzen und begeht Intrigen. Erst beim Schach, dem **Spiel der Könige**, erhält seine Karriere einen offensichtlichen Dämpfer (Heft 8/1986).

Doch ein weiterer Schicksalsschlag erwartet ihn: Er trifft auf die Abrafaxe. Diese waren nach den Abenteuern um die **Diamantenaugen** auf der Suche nach einem als Einsiedler lebenden Brahmanen. Doch statt diesen zu finden, machen sie Bekanntschaft mit der Wunderdroge **Soma**. Auf diese hat es auch Krishna Ghaunar abgesehen, denn dem Handel mit Wundermitteln verdankt er einen Teil seines **Reichtums**. Den anderen Teil hat er sich durch eine Intrige gegen seinen einstigen Förderer, den Brahmanen, erschwindelt. Als **Schatzmeister** am Hofe des Maharadschas mit der Pfauenfeder sorgt er für dessen Verbannung, um selbst den Posten des Oberaufsehers über die Perlenfischerei einzunehmen. Durch **Unterschlagung** kann er sich hier ein beträchtliches Vermögen aufbauen. Der Wechsel in die **Wundermedizin** soll ihn dann nur noch reicher machen.

Als ihm Gerüchte zu Ohren kommen, dass der **Brahmane** ein neues Elixier gefunden hat, schickt er seine Helfer aus, um Pro-

Rote Figurinen von Lona Rietschel

Figurinen von Irmtraut Winkler-Wittig

Krishna Ghaunar im MOSAIK

	1	2	3	4	5	6	7	8	9	10	11	12
1986					x	x	x	x		x	x	x
1987		x		x	x	x	x	x			x	

ben davon zu beschaffen. Leider hat er bei der Wahl seiner Mitarbeiter kein gutes Händchen. Seine **Schergen** Dschafar, Hamshar und Kandshar sind zwar zupackend, aber weder besonders gründlich noch sehr klug. Ohne Soma

… führt die Gier nach Gold …

und ohne den Brahmanen, dafür aber mit **Califax** im Schlepptau, kehren sie zu ihrem Auftraggeber zurück.

Die **Pechsträhne** Ghaunars reisst seitdem nicht mehr ab: Califax entkommt ihm und er verliert auch den letzten Hinweis auf den Brahmanen – dessen Gewand. Ausgerechnet von Abrax, Brabax und dem **Spaßmacher Vidusaka** lässt er sich übertölpeln. Autor Lothar Dräger greift hier wieder auf seine **Theatererfahrungen** zurück und entlarvt, typisch für die italienische Komödie, die Mächtigen, indem sie ihrer Macht beraubt und bloß gestellt werden.

Am Ende des MOSAIK-Jahrgangs 1986 verliert Ghaunar alles: Sein Aufstieg in die höhere Kaste ist gescheitert und der Brahmane zerstört lieber sein Lebenswerk, die **Glaskugel**, als es Ghaunar zu überlassen. Doch nur scheinbar findet der Schurke hier sein **gerechtes Ende** – Lothar Dräger hat noch etwas mit ihm vor.

Ghaunar verschlägt es, wie wir später erfahren, in die **Provinz Bolangir**. Die legendäre goldene Säule soll ihn für alle seine Rückschläge und Misserfolge entschädigen, ihm aber auch **Genugtuung** gegenüber den Abrafaxen verschaffen, die er für seine missliche Lage verantwortlich macht.

Gier und Rachegelüste machen die goldene Säule für Ghaunar zur persönlichen **Obsession**. Er intrigiert und manipuliert, unterschätzt dabei aber die wahren **Machtverhältnisse**. Und auch die Abrafaxe kommen ihm immer wieder in die Quere.

Sein Traum vom Reichtum, der immer wieder zum Greifen nah scheint, entpuppt sich ein ums andere Mal als **Illusion**. Sein Realitätssinn geht schließlich verloren und letztendlich, als die Abrafaxe vor ihm die wahre **goldene Säule** finden, verliert Ghaunar den Verstand und fristet sein Leben fortan als **Bettler**. Ein beispielloser Abstieg in der MOSAIK-Geschichte.

… zu Verzweiflung …

… und Wahnsinn

Geld und Währungen im MOSAIK

Auf ihrer abenteuerlichen Reise durch Länder und Zeiten begegnen die Abrafaxe zwangsläufig auch den sehr unterschiedlichen **Währungssystemen** dieser Epochen. Die Darstellung der jeweilig gebräuchlichen Geldmittel und Währungen erfolgt jedoch oft recht sporadisch. Sehr häufig wird dabei als Ersatzbegriff die allgemeine Bezeichnung **„Goldmünze"** verwendet.

Die am weitesten ausgebaute Darstellung einer Währungseinheit finden wir in der Orissa-Serie – allerdings handelt es sich dabei um ein völlig fiktives Geldsystem. Nachdem die Abrafaxe das Königreich Orissa und den in Form der goldenen Säule eingeschmolzenen **Staatsschatz** gerettet haben, lässt der König von Orissa zu ihren Ehren aus dem Gold der Säule eine neue Währung herstellen (Heft 12/87). Die Goldmünzen dieser Währung tragen die Antlitze der Abrafaxe, und zwar sowohl jeweils einzeln als auch auf einer **Gemeinschaftsmünze** (siehe Abbildung). Angaben über einen materiellen Gegenwert dieser Münzen lassen sich dem MOSAIK nicht entnehmen, und die Währung wird auch so gut wie nicht praktisch verwendet.

Folgen wir den Abrafaxen reisechronologisch, dann sind sie auf ihrer ersten Station an der Adria dem venezianischen **Dukaten** begegnet (Heft 5/76). Diese Nationalwährung Venedigs wurde bis zum Ende der Republik Ende des 18. Jahrhunderts mit gleichem Münzbild und nahezu unverändertem Goldgehalt geprägt.

Damit waren die venezianischen Dukaten über Jahrhunderte hinweg die stabilste Währung der Welt, und sie werden insbesondere für die Renaissance als Welthandelsmünze angesehen.

Die nächste Epoche erstreckt sich über Österreich und Frankreich zu Beginn des 18. Jahrhunderts. Geld aus der Donaumonarchie wird nahezu überhaupt nicht erwähnt, abgesehen von zwei Kurzauftritten eines **Talers** (Hefte 2/79 und 12/79). Die wohl interessanteste Münze wird auf einer Art redaktioneller Sonderseite präsentiert und spielt überhaupt keine Rolle in der MOSAIK-Handlung (Heft 1/79). Es handelt sich dabei um eine sogenannte **Malkontentenmünze**, die während des Kuru-

zenaufstands unter **Fürst Ferenc Rakoczi** zwischen 1703 und 1707 geprägt wurde. Der Begriff „Malkontenten" leitet sich aus dem Französischen ab und bedeutet „Unzufriedenen"-Münze.

Von Österreich aus gelangen die Abrafaxe nach Frankreich. Dort begegnen sie (obwohl nicht wörtlich erwähnt) dem französi-

Die Welt der Abrafaxe

schen **Louis d'or**, denn nachdem der Steuerpächter um sein Geld erleichtert wurde, schickt die Obrigkeit einen Spion in das Pyrenäendorf, der die Dorfbewohner nach einem Goldstück mit dem Bildnis des Königs darauf fragt, damit er einen Witz erzählen könne (Hefte 10/80 und 11/80). Der Louis d'or wurde im 17. und 18. Jahrhundert verwendet. Seinen Namen hat er von dem Bildnis des Königs, zuerst Ludwigs XIII.

kurz eine interessante Münze auf, als im 13. Jahrhundert der Schurke Don Ferrando mit einer spektakulären historischen Goldmünze bezahlt, die noch aus der griechischen Antike stammt (Heft 9/83). In der Mittelalter-Serie taucht kurz ein **Kreuzer** auf, dem wir auch in der Stein-der-Weisen-Serie begegnen (Heft 383).

Ein ganz anderes Bild gibt die Abrafaxe-Amerika-Serie. Hier erleben wir geradezu ein Feuerwerk mit Angaben zu Kosten und Preisen aus dem Amerika der 1920er Jahre. Die nationale Währung der USA ist der **Dollar**. Die zugehörige kleinere Münzeinheit ist der **Cent**. Während Dollar fast nur als Geldscheine verwendet werden, ist der Cent eine typische Münzwährung. Bereits seit etwa der Mitte des 19. Jahrhunderts spielte der Dollar eine über die Landesgrenzen hinausgehende, international bedeutende Rolle.

Im Gegensatz zu den meisten anderen Währungen, die im MOSAIK erwähnt oder verwendet werden, finden sich zu den US-Dollars recht gute Abbildungen. Bei den Abrafaxen ist die deutlichste Abbildung diejenige eines **10-Dollar-Scheins** (Heft 303), die sehr genau geraten ist. Mit etwas gutem Willen kann man darauf sogar das Porträt Alexander Hamiltons identifizieren. Da Währungs- und Preisangaben in der Amerika-Serie sehr häufig verwendet werden, sei eine genaue Auflistung aller Fundstellen dem MOSAIK-Leser überlassen. In aller Regel finden wir runde 5er- und 10er-Beträge. Die Cents spielen nur eine untergeordnete Rolle. So verkaufen die Abrafaxe im New York des Jahres 1929 Hot Dogs für fünf Cent (was eine absolut vorbildgetreue Angabe darstellt).

Nach dem Ende der Amerika-Serie stoßen wir wieder auf eine recht große Lücke in der Welt der Währungen. Erst zu Beginn der Templer-Serie finden die Abrafaxe nochmals einen **Louis d'or** (Heft 358), den sie nach einem Zeitsprung im Mittelalter für seinen Goldwert veräußern. Gegen Ende der Serie wird dann mit einer besonders gelungenen **Silbermünze** wieder ein kleines Highlight gesetzt (Heft 378).

Die nächsten Serien, von Beginn der 1980er bis Ende der 1990er Jahre, bewegen sich praktisch im währungsleeren Raum. Lediglich in der Don-Ferrando-Serie taucht noch einmal

Der Herr der Tiere

Dass der **"Fingerzeig Allahs"** die Abrafaxe direkt in das geheimnisvolle Dschungelreich des Herrn der Tiere bringen würde, hätte der moslemische **Statthalter** von Bolangir sicher nicht gedacht, als er sie auf dem **Dschungelfluss** ihrem Schicksal überließ. Noch weniger dürfte er geahnt haben, dass er gerade dadurch das Ende seiner Herrschaft eingeläutet hatte. Wie hätte er auch wissen können, dass der Herrscher über jenes **Reich im Dschungel**, von dem er bis dahin nur einige vage Gerüchte vernommen hatte, einer jener vier Minister gewesen ist, die er mit seiner Armee gestürzt und vertrieben hatte. Und dass dieser ehemalige Schatzmeister der **Provinz Bolangir** zudem noch die einmalige göttliche Gabe besitzt, sich mit den Tieren des Waldes zu verständigen? Aber so war es nun einmal.

Mit dem **Herrn der Tiere** konnte Lothar Dräger wieder einmal eine Figur formen, die ihre Inspiration aus verschiedenen Quellen der europäischen **Kulturgeschichte** zieht. Die Idee der Kommunikation mit Tieren ist schon vom heiligen **Franziskus** bekannt, der zu den Vögeln gepredigt haben soll. Aber auch die europäische (Abenteuer-) **Literatur** hat die Tierfreunde schon zuhauf in die exotischen, tropischen Regionen unserer Erde hineingeschrieben. Als bekannteste Beispiele seien hier nur Hugh Loftings **Doktor Doolittle**, Edgar Rice Burroughs' **Tarzan** und Mowgli im **Dschungelbuch** von Rudyard Kipling genannt.

Wie auch im MOSAIK haben die Hauptfiguren immer eine besonders enge Beziehung zu **Menschenaffen** und da ist es sicher nicht nur Zufall, dass man in den Orang-Utans des Herrn der Tiere bisweilen **King Louie** aus der Disney-Verfilmung des Dschungelbuchs zu erkennen glaubt.

Doch eigentlich hatte vieles ganz anders kommen sollen. In **Lothar Drägers** ursprünglicher **Planung** sollte der ehemalige Schatzmeister Bolangirs Herrscher über ein primitives **Dschungelvolk** sein. Dazu hatte er sogar schon Bildvorlagen für diese Waldbewohner herausgesucht. Den **Zeichnern**   sagte die Idee jedoch weniger zu. Sie meinten, und hatten dabei sicherlich den Disney-Filmhit im Sinn, dass **Affen** doch viel komischer wären und setzten sich mit dieser Ansicht schließlich durch.

Nun blieb für den akribisch arbeitenden Autor nur **noch eine Hürde** zu überwinden. Da es in

Vielseitig verwendbar: Der Herr der Tiere und seine Schützlinge

Die Welt der Abrafaxe

einen **hochrangigen Inder** in dieser Zeit nichts außergewöhnliches. Die südindischen Königreiche hatten in dieser Region einen enormen maritimen und **kulturellen Einfluss**. Dass diese Kontakte durch gegenseitige dynastische Verbindungen gepflegt wurden, werden wir im nächsten Sammelband erleben.

Orissa keine freilebenden Orang-Utans gibt und auch damals nicht gab, musste er den Herrn der Tiere zu einem **weitgereisten Mann** machen. So konnte er, unterstützt durch seine einmalige Fähigkeit, eine große Gruppe dieser Menschenaffen von einer Reise nach **Borneo** mitgebracht haben. Eine solche Reise in die indonesische Inselwelt war für

Orang-Utans

Die **Menschenaffengattung** der Orang-Utans, das wird im MOSAIK richtig berichtet, kommt auf den Inseln **Borneo** (die Art Pongo pygmaeus) und **Sumatra** (die Art Pongo abelii) vor. Der Name leitet sich von den malaiischen Wörtern „orang" (Mensch) und „utan" (Wald) ab und bedeutet demzufolge „**Waldmensch**". Dies beweist, dass die örtliche Bevölkerung schon sehr früh die Menschenähnlichkeit dieser größten asiatischen Affen bemerkt hat. Männliche Orang-Utans erreichen eine Größe von knapp **1,40 Meter** und können über **90 kg** wiegen, Weibchen sind kleiner und wiegen nicht einmal die Hälfte. Die Tiere sind ausgesprochene **Baumbewohner** (ganz im Gegensatz zu Gorillas und Schimpansen). Mit gemächlichen Bewegungen klettern sie durch das **Blätterdach** des Regenwaldes auf der Suche nach Nahrung und wenn sich die Dämmerung ankündigt, baut sich jedes Tier ein bequemes **Schlafnest** in den Kronen der Urwaldriesen. Ihre Nahrung ist sehr vielfältig und umfasst alles, was ihr Lebensraum hergibt: **tropische Früchte**, junge Blätter und Triebe, Insekten, Nüsse, **Baumrinde**, Eier und manchmal auch **kleine Tiere**. In ihrer Intelligenz stehen Orang-Utans den anderen Menschenaffen in nichts nach. In freier Wildbahn haben sie **kaum Feinde** außer dem Menschen. Von Fossilienfunden weiß man, dass sie früher von Südchina über ganz Hinterindien bis nach Java verbreitet waren. Doch überall dort wurde er schon **ausgerottet**. Heute gibt es kleine bedrohte **Orang-Utan-Refugien** nur noch in Nordsumatra und in Süd- und Ostborneo. Die größte Gefahr für die Tiere geht dabei nicht von der Jagd aus, sondern von der **Zerstörung ihres Lebensraumes**. Die Abholzung des Regenwaldes bedeutet für sie die Entziehung ihrer Lebensgrundlage. Mittlerweile wurden jedoch einige **Schutzgebiete** eingerichtet, so dass zu hoffen ist, dass sich der Bestand von 20.000 bis 40.000 Orang-Utans erhalten lässt.

Aus dem Leserpost-Archiv: Der Traumjob

An dieser Stelle veröffentlichen wir in loser Abfolge interessante Leserzuschriften aus unserem Archiv.

Für die jungen MOSAIK-Fans dürfte es ein **Mysterium** gewesen sein, wie das Heft Monat für Monat in ihre **Briefkästen** gelangte. Wer erstmal dahinter gekommen war – der wollte manchmal selbst Teil dieses Geheimnisses werden, wie der unten abgebildete Brief beweist. Vorausgegangen war ein erstes **Schreiben des Fans** an das MOSAIK, das leider nicht erhalten ist. Der Antwortbrief von **Wolfgang Beyer** ist im Folgenden dargestellt und bewegte den Leser, sich erneut an das MOSAIK zu wenden. Von einem späteren Treffen oder gar einer **Anstellung** des Interessenten in der Redaktion ist indes nichts bekannt.

Lieber Frank!

Mit freundlichen Grüßen und einem Dankeschön für Ihren netten Brief übergab uns Frau Manglus Ihr Schreiben zur Beantwortung. Wir sind genau so entsetzt wie Sie, welche Wucherpreise MOSAIK-Sammlern zugemutet werden. Leider können wir gar nichts dagegen tun, auch einen Lottogewinn können wir für Sie nicht inszenieren und wollen Ihnen nun die Daumen für großes Sammlerglück drücken.

Nun zu Ihren weiteren Problemen: Natürlich freuen wir uns über Ihre unerschütterliche Mosaik-Treue und danken für Ihr Interesse an uns und an unserer Arbeit. Sie schätzen es richtig ein, - es ist wirklich eine sehr interessante Tätigkeit, die uns allen viel Freude macht, also, zugegeben, ein lohnendes Berufsziel. Aber Sie sind gut beraten, wenn Sie zunächst einen Beruf erlernen und dann mit uns in Verbindung treten. In „Mosaik" selbst besteht keine Möglichkeit der Berufsausbildung. Zeichnen und üben Sie fleißig weiter, vielleicht übersenden Sie uns irgendwann einmal Proben Ihres Könnens und reden mit uns, falls Sie einmal in Berlin sind.

Eine „entweder MOSAIK oder gar nichts"-Einstellung hilft Ihnen nicht weiter. Wenn Sie sich entschlossen haben, einen der vielen möglichen Berufe zu erlernen und Ihr „Traum" immer noch Bedeutung für Sie hat, dann ist es immer noch Zeit, aus einem „Traum" Realität werden zu lassen.

Sind Sie nun enttäuscht von unserer Antwort? Nein, sicher nicht, denn Ihrem netten Brief nach zu urteilen, sind Sie ein verständiger, kluger junger Mann, vor allem aber: jung, und deshalb stehen Ihnen noch alle Wege offen. Sie werden sich für das Ihnen gemäße und richtige nächste „Etappenziel" entscheiden.

Mit besten Wünschen für vorerst beste Lernergebnisse und eine glückliche Berufswahl verbleiben wir als

Ihre Red. „Mosaik"
Wolfgang Beyer
Chefredakteur

Einen recht Guten Morgen, Herr Wolfgang Beyer!

„Das sendet Ihnen Frank aus Halle-Neustadt.
Nicht schlecht gestaunt habe ich, als „Sie" mir sogar meinen Brief beantwortet haben. Recht herzlichen Dank!
Enttäuscht bin ich von Ihrer Antwort nicht. Im Gegenteil, ich habe mich sehr gefreut, als ich bemerkte, daß noch ein kleiner Schimmer Hoffnung besteht, mit Ihnen gemeinsam zu arbeiten.
Ich war am Mittwoch, dem 27.5. mal in Berlin gewesen. Natürlich konnte ich nicht wissen, wo man Sie hätte hier antreffen können. Auch die Zeit hätte es nicht hergeben können, da wir einen Tagesablaufplan hatten. Also genauer; Das war eine Auszeichnungsfahrt vom PA aus. (PA= Produktive Arbeit)
Weil ich die Fahrten kostenlos bekomme, ist es kein Problem, mal öfters nach Berlin zu kommen. Da Sie mal mit mir reden wollten und ich Proben von meinem Können mitbringen sollte, würde ich natürlich ganz gern mal zu Ihnen nach Berlin kommen.
Ich habe mir mit meinem Freund ausgemacht, daß wir dann zusammen mal hoch fahren. Er will keineswegs auch dort anfangen, sondern nur mal so, da ich auch lieber zu zweit reise als allein.
Nun müßte ich nur noch wissen, wie wir beide in die Redaktion, also; eben zu Ihnen kommen können. Dennoch kenne Berlin noch nicht so gut wie die Mosaiks.
Mir wäre lieb, wenn Sie mir schreiben würden, wann und wie wir zu Ihnen kommen könnten.

—1—

Ich möchte mich nämlich gern auch mit Ihnen über andere Dinge unterhalten.
Die Zeichnungen bringe ich dann selbstverständlich mit. Zur Zeit sind sie bei einem Mann, der sie noch etwas studieren möchte, wie er mir schrieb. (Von ihm habe ich den größten Teil meiner alten Mosaik-Sammlung bekommen).
.... Meine Kopfnoten; Betragen: 1, Fleiß: 2, Mitarbeit: 2 und Ordnung: 1.
Ich kann nichts dafür, hinsichtlich der Betragenzensur. Das muß am Lehrer gelegen haben. Zugegeben, in Fleiß und Mitarbeit, naja, entweder man weißes oder man weißes halt nicht.
Die Nummer 5.87 haben sie am Zeitungskiosk immer noch nicht. Achso, eins, was ich gern schon immer mal wissen wollte; Wie viele Monate sind Sie denn eigentlich schon voraus, oder geht das alles, eben monatlich? (Mit den Mosaiks). Ich meine das so; wenn jetzt z.B. die Nr. 5 erscheint, haben Sie da schon die Nr. 6 und die Nr. 7 usw. fertig. Das würde mich gern einmal interessieren.
So, das war's eigentlich erst einmal.

Herzliche Grüße an Sie und Frau Manglus, sowie an alle die am Mosaik-Geschehen beteiligt sind.

Beste Grüße!

Wir sind wieder da!

Seit 1958 erschienen monatlich in der Comic-Zeitschrift „**Atze**" lustige Geschichten mit den pfiffigen Mäusen **Fix und Fax**. Die allerersten 30 Abenteuer der Mäusebrüder aus diesen frühen Jahren, allesamt gezeichnet und mit unterhaltsamen Reimen versehen von ihrem Erfinder **Jürgen Kieser**, sind in diesem Band zusammengefasst.

96 Seiten in Farbe, Softcover-Album im MOSAIK-Format, Klebebindung
€ (D) 9,95,
ISBN 3-937649-90-5

Infos und Bestell-Service:
MOSAIK Steinchen für Steinchen Verlag
Lindenallee 5, 14050 Berlin

Telefon: 030/30 69 27-22
Fax: 030/30 69 27-29

E-Mail: mosaik@abrafaxe.de

Alles in Ordnung?

Schluss mit dem Chaos!

Für die Softcover-Version der MOSAIK-Sammelbände gibt es den original Schuber für je sechs Ausgaben (2 Jahrgänge).

Maße: 169 x 59 x 243 mm
Material: 1,5 mm starker Karton, kaschiert
€ (D) 6,50

www.abrafaxe.com

Infos und Bestell-Service:
MOSAIK Steinchen für Steinchen Verlag
Lindenallee 5, 14050 Berlin

Telefon: 030/30 69 27-22
Fax: 030/30 69 27-29
E-Mail: mosaik@abrafaxe.de